Tadam !

collection **Pour lire**

sous la direction de
Yvon Brochu
R-D création enr.

DU MÊME AUTEUR

Chez Héritage

Le paradis perdu, 1991

Destinées, 1993

Aux Éditions Michel Quintin

La poudre magique, 1992

Enquête sur la falaise, 1992

Mystère aux Îles-de-la-Madeleine,
    1992

La fête est à l'eau, 1993

La machine à bulles, 1994

Tadam !

Jean-Pierre Guillet

Illustrations
Sylvie Bourbonnière

Données de catalogage avant publication (Canada)

Guillet, Jean-Pierre

Tadam!

(Pour lire)

Pour les jeunes.

ISBN: 2-7625-7034-4

I. Titre. II. Collection.

PS8563.U546T32 1995   jC843'.54   C95-940170-9
PS9563.U546T32 1995
PZ23.G84Ta 1995

Conception graphique de la couverture: Flexidée
Illustrations: Sylvie Bourbonnière

Dépôts légaux: 1er trimestre 1995
Bibliothèque nationale du Québec
Bibliothèque nationale du Canada

ISBN: 2-7625-7034-4   Imprimé au Canada

LES ÉDITIONS HÉRITAGE INC.
300, rue Arran, Saint-Lambert (Québec) J4R 1K5
(514) 875-0327

Diffuseurs:

Pour la France	**Pour la Belgique**	**Pour la Suisse**
Le Colporteur Diffusion	Les Presses de Belgique	OLF
8, rue du Chant-du-loup	boul. de l'Europe 117	Z13 Corminbœuf
B.P. 01	1301 Wavre	CH 1701 Fribourg
63670 La Roche-Blanche	Bruxelles	Suisse
France	Belgique	

*Merci à Pierre Lamonde,
mon professeur de français
au secondaire ; les personnages de ce
récit sont nés durant son cours.*

*Merci aussi à ma fille Joëlle
qui, vingt-cinq ans plus tard,
me donna l'idée du toutou vivant.*

Chapitre 1

Sur l'étoile bleue

Bien loin dans l'espace brillait une grosse étoile bleue. À la surface de cette étoile, sur un océan de feu bleu, flottait un étrange bateau transparent. À l'intérieur habitait GvL, un être bizarre qui ressemblait à une sorte de nuage blanc avec de longues oreilles. GvL regardait le feu bleu et il s'ennuyait.

Les oreilles de GvL avaient en réalité plusieurs fonctions. De légères bulles blanches s'en échappaient parfois et éclataient dans un drôle de gargouillis : c'était sa façon de parler !

— Qu'est-ce que je pourrais bien faire aujourd'hui ? dit-il.

-- boP! -- Du ménage --? -- suggéra OuOu.

OuOu, c'était un superordinateur : une série de lumières clignotantes, de fils enchevêtrés et de petits tiroirs qui occupaient tout un côté du navire. Le reste de la pièce était encombré d'un fouillis de potions, chaudrons et inventions diverses : il y avait là un parapluie contre les averses de feu, un télescope pour voir à l'intérieur des planètes, un bocal rempli de formules magiques, des biscuits pour ordinateur, un remède pour guérir du hoquet, et quoi encore ! Car GvL était à la fois un grand savant et un magicien (ce qui revenait au même sur cette étoile).

Soudain, GvL fit des bulles qui éclatèrent de rire dans un bruit de tonnerre. Des étincelles crépitèrent autour de sa cervelle en nuage : c'était signe qu'il venait d'avoir une idée. De son souffle puissant, il balaya pêle-mêle dans un coin les objets qui encombraient le pont du bateau.

— Tiens, en voilà du ménage ! tonna-t-il. Ça m'a donné une hyper-géniale idée ! J'aurais besoin de quelqu'un pour ranger, faire les courses, des galipettes pour me désennuyer... Allons, au travail, je vais me cuisiner un assistant !

GvL, tout heureux de son idée, dégageait maintenant de belles bulles roses qui pétillaient de joie. Il saisit un gros chaudron, y versa toutes sortes de mixtures, brassa, chauffa, brassa encore, ajouta un peu de crème glacée...

— Alors, OuOu, qu'est-ce que tu en penses?

L'ordinateur s'illumina. OuOu réfléchit quelques instants avant d'exprimer son avis:

-- boP! -- Il y a déséquilibre des charges électriques -- ajoutez -- boP! --23 000 941 008 électrons -- boP! --

— Ridicule! rétorqua GvL. Le compte y est, à un million près...

Pour prouver ses dires, le savant GvL plongea une oreille dans l'étrange mixture brunâtre qui bouillonnait dans le chaudron. Il reçut une décharge électrique assez puissante pour éclairer toute une planète. GvL clignota vivement plusieurs fois.

-- blopblopblopblopblopblopblop... -- laissa échapper OuOu avec quelques grincements (c'était sa façon de rire).

— Hum, tu as peut-être raison, après tout, concéda GvL, la sauce est un peu trop corsée.

À travers le fouillis qui l'entourait, il finit par retrouver son bocal d'électrons et chercha les instructions : «*Saupoudrer un à un et agiter*», chanta l'étiquette du bocal. GvL préféra laisser faire OuOu : à l'aide d'un entonnoir, il vida tout le contenu du bocal dans une fente de l'ordinateur. À la vitesse de l'éclair, OuOu recracha les milliards de particules scintillantes dans le chaudron.

--...
-- 23 000 941 006
-- 23 000 941 007
-- 23 000 941 008

-- boP! -- prêt pour étape suivante -- annonça l'ordinateur.

GvL saisit un second bocal, rempli d'une vapeur blanche luminescente qu'il ajouta au mélange de son chaudron, en chantonnant une formule magique scientifique :

— Goum voum Loum! Gom zom Lom! Gom vom Lom! Goum zoum Loum!

De grosses bulles bouillonnèrent dans le chaudron. Quelques éclairs insignifiants d'un milliard de volts en jaillirent.

— C'était mon dernier bocal de vie concentrée, remarqua le savant. Tu me feras penser d'en commander d'autres, OuOu.

Le mélange à l'intérieur du chaudron avait pris un bel aspect ouaté et luisait doucement. Cela avait vaguement la forme de GvL, mais en plus petit.

— Il est presque aussi beau que moi! jubila le savant. Je vais l'appeler GzL.

-- Étape finale -- boP! -- cuisson du mélange pendant six mille ans -- dit OuOu.

Attendre soixante siècles, cela aurait pu paraître un peu long, même pour GvL. Heureusement, il n'aurait pas à patienter tout ce temps. Le laboratoire était équipé d'un four spatio-temporel qui lui permettrait d'effectuer cette opération en une fraction de seconde. Avec précaution, GvL alla y déposer ce précieux mélange qu'il avait nommé GzL.

— Donne-moi les coordonnées, lança le savant à l'ordinateur, sans se retourner.

La réponse nécessitait une très grande précision de la part de OuOu. Ce dernier se concentra si fort que tous ses fils blêmirent. L'ordinateur laissa même échapper quelques bouffées de fumée.

— Alors OuOu, ça vient? s'impatienta GvL. Ce que tu peux être lent!

-- boP! -- Réglage à 1 + 1 + 1 -- boP! --

— Bon... 111, répéta GvL en ajustant le four. Parfait!

-- Correction -- boP! -- 1 + 1 + 1 -- boP! -- égale 3 --

— Gros plein de fils! grommela GvL en appuyant vivement sur le 3 pour essayer de corriger l'opération.

Trop tard! Déjà, sous l'action du four spatio-temporel, le jeune GzL était disparu dans un grand éclat de lumière blanche.

Chapitre 2

Le pays magasin

Pendant ce temps, sur la lointaine planète Terre, dans un grand magasin...

C'était la nuit. Les rayons étaient déserts. Derrière le comptoir d'un casse-croûte, un curieux crépitement monta soudain du four à micro-ondes. Une lumière fulgurante étincela, la porte vitrée du four éclata et une sorte de nuage blanc en surgit. Le détecteur de fumée se mit à hurler et l'éclairage s'éteignit dans tout le magasin.

Un gardien de sécurité accourut avec une lampe de poche. Il heurta au passage la poubelle du casse-croûte qui se renversa avec un bruit de ferraille.

BZ BZZ BZZZ! fit une mouche affolée dont le repas venait d'être interrompu.

Saisissant un extincteur, le gardien dirigea un jet de neige chimique sur le four. Dans tout ce tohu-bohu, avec l'obscurité et le brouillard de l'extincteur, le gardien ne remarqua pas la chose qui était sortie du four et qui s'était réfugiée derrière la poubelle.

Un étrange petit nuage blanc orné de deux longues oreilles!

Le drôle de nuage fila sous les étagères, en zigzaguant au hasard. Il
était terrorisé. Il ignorait où il se
trouvait. Il avait peur du noir, peur
du bruit strident de l'alarme, peur de
cet homme tout énervé qui l'avait
arrosé d'un produit chimique glacial...

Un autre de ces grands humains à
deux pattes se dressa soudain devant
le petit fuyard. Celui-là n'était pas
excité comme le gardien. Au contraire, il avait un regard vitreux, une
pose figée, aucune chaleur en lui...
C'était plutôt effrayant! Le petit
nuage ignorait qu'il s'agissait d'un
mannequin du rayon des vêtements
pour hommes. Il s'écarta vivement,
heurta une étagère et s'empêtra dans
les cravates et les chapeaux avant de
filer dans une autre direction.

Enfin, il vit quelque chose d'un peu
plus rassurant. Sur une étagère du

rayon des jouets étaient alignés plusieurs toutous. Moelleux, l'air gentil, chaleureux... Il y en avait un qui semblait particulièrement attirant : blanc, duveteux, avec de longues oreilles. Un lapin en peluche !

Le petit nuage, affolé, sauta sur le lapin en peluche sans plus réfléchir et s'y enfonça.

BZ BZZ BZZZ ! La mouche, chassée des poubelles, avait suivi de ses multiples yeux ce bizarre machin blanc. Quel ne fut pas son étonnement quand elle le vit disparaître dans le toutou ! Pouf ! Comme ça !

Soudain, l'éclairage revint dans le magasin. Le détecteur de fumée se tut. Le gardien continua de s'agiter, ramassant les dégâts et inspectant les lieux prudemment. Il passa devant l'étalage de toutous immobiles sans remarquer quoi que ce soit d'anormal.

Le gardien finit enfin de nettoyer et, ne trouvant rien de suspect, se détendit.

« Sans doute un court-circuit dans un four défectueux, pensa-t-il. Je devrai en parler au directeur. »

Puis, il s'éloigna et reprit sa ronde habituelle.

BZ BZZ BZZZ !

— Où es-tu ? Qui es-tu ? bourdonna la mouche curieuse en voltigeant autour du lapin immobile.

Le toutou avait le poil tout ébouriffé, comme s'il avait reçu un choc électrique, et le bout des oreilles roussi. La mouche se posa sur le nez rose du lapin jouet. Les antennes ultra-sensibles de l'insecte notèrent une légère chaleur qui s'en dégageait.

Soudain, le lapin ouvrit les yeux! BZZZ! La mouche, surprise, s'envola au plafond. Le toutou regarda à gauche, à droite: pas de gardien en vue. Alors le lapin se tourna vers les autres toutous à ses côtés. Il y avait des oursons, des poussins, des pandas... Leur aspect était rassurant, mais le lapin se rendit compte avec tristesse qu'ils restaient figés, sans vie.

Il était seul dans ce monde inconnu!

Non, pas tout à fait seul: il y avait la mouche. La bestiole semblait un peu énervée, mais tout de même moins inquiétante que les humains. Elle pourrait peut-être l'aider.

Le lapin se leva, marcha le long du mur, puis alla rejoindre la mouche au plafond. Celle-ci l'observait d'un air ébahi. Jamais elle n'avait vu un lapin se promener ainsi au plafond, la tête en bas !

BZ BZZ !

— Hé là, Ztop ! N'approche pas trop ! Qui es-tu ? s'exclama la mouche.

Le lapin hocha la tête, pensif.

— Je crois que je suis... GzL, dit-il enfin. Mais j'ignore d'où me vient ce nom... et d'où je viens moi-même. Où suis-je ?

— GzL ? Drôle de nom ! Moi, Z'est Biz. Et iZi, Z'est le pays magaZin.

— Étrange pays, murmura GzL en regardant autour de lui. Il n'y a pas beaucoup d'habitants ici...

— La nuit, le pays est fermé! Mais le jour, Z'est plein de grands deux-pattes. Ils Zont laids, leur peau pue le Zavon ou le parfum et ils Zont dangereux. Ils tuent les mouches et mangent les lapins. La Zeule utilité des deux-pattes, Z'est qu'ils jettent de la bonne bouffe. Quand tu m'as dérangée dans la poubelle, je déguZtais un joli trognon de pomme bien moiZi... miam! Pourvu que je le retrouve! BZZ!

À ce souvenir, la mouche se désintéressa du visiteur et s'envola à tire-d'aile. Le bruit des pas du gardien qui faisait sa ronde se rapprocha. GzL se hâta de regagner sagement sa place sur l'étagère. Il ne voulait surtout pas être remarqué.

* * *

Le lendemain matin, en voyant le lapin, la vendeuse du rayon hocha la tête, intriguée. Depuis quand était-il ébouriffé et sale comme ça? Elle prit un chiffon et une brosse, puis le frotta avec vigueur pour tenter de le rendre un peu plus présentable. GzL, très inquiet, supporta ce traitement désagréable sans rien laisser paraître. Ces humains avaient vraiment des manières rudes!

Finalement, la vendeuse secoua la tête, avec une moue de dédain: le résultat n'était pas fameux. Elle replaça tout de même le lapin sur l'étagère.

Toute la journée, des humains défilèrent dans le magasin. Le petit GzL, parfaitement immobile et les yeux grands ouverts, observait ce monde étrange avec curiosité. Un peu comme un bébé, il absorbait tout naturellement ce flot d'impressions nouvelles, et il apprenait vite. Mais certaines choses restaient difficiles à comprendre. Le langage des humains, par exemple, était bien plus compliqué que celui de la mouche. Parfois, leur langue semblait même dire le contraire de ce que leurs yeux exprimaient!

C'était vraiment curieux de voir ces gens. Ils contemplaient avec envie toutes sortes d'objets exposés dans le magasin. Parfois, ils échangeaient des pièces métalliques ou des billets en papier contre ces objets. D'autres s'en allaient les mains vides, mécontents. Certains passaient vite, pressés, soucieux. Plusieurs se pavanaient longuement devant des miroirs, enfilant des bouts de tissus comme ces cravates ou ces chapeaux où GzL s'était empêtré la veille.

— N'est-Ze pas qu'ils Zont ridicules? zézaya la mouche, qui était revenue faire un brin de causette avec le lapin.

GzL avait remarqué que certains jouets en peluche avaient été enlevés des étagères et emprisonnés dans des sacs ou des boîtes pour être transportés hors du pays magasin.

— Que... que font-ils de nous après ? chuchota-t-il à la mouche.

— Zais pas, fit l'autre. Rien de bon, j'imagine... L'autre jour, deux gamins Ze Zont chamaillés iZi pour avoir un de tes voiZins de tablette. Regarde Za !

La mouche montrait à GzL un chien en peluche, jeté dans une corbeille sous un comptoir. Le pauvre avait une oreille arrachée. GzL frémit en le voyant.

À ce moment, la vendeuse remarqua la mouche posée sur l'étagère. Mine de rien, elle enroula un dépliant publicitaire et leva lentement le bras...

Pfffft! Le lapin souffla sur la mouche.

Paf!

Sauvée! Grâce à GzL, la mouche échappa à l'écrasement par un milli-mètre.

— Ouf! MerZi! fit la mouche en vi-revoltant autour du lapin. Des vrais Zauvages, hein! ragea-t-elle en s'en-fuyant au plafond.

La journée s'écoula, lentement. Plusieurs personnes passèrent devant le lapin mais la plupart le regardaient à peine. Certaines le pointaient du doigt avec des remarques désobli-geantes. D'autres s'arrêtèrent pour acheter des toutous : plus gros, plus beaux, plus propres... et plus chers que le lapin.

Par une vitrine, GzL pouvait apercevoir l'extérieur du pays magasin. Des gens affairés se bousculaient sur les trottoirs ou se faufilaient parmi des monstres métalliques à quatre roues qui passaient bruyamment. La lumière du jour déclina progressivement. Il y avait de moins en moins de monde dans le magasin. La vendeuse bâilla. GzL avait hâte de retrouver le calme de la nuit. Il pourrait se dégourdir les pattes et en apprendre davantage sur ce pays en discutant avec son amie la mouche.

C'est alors qu'un client s'approcha de GzL.

C'était un homme pas très grand, un peu bedonnant, avec une face ronde et rougeaude ; il avait du poil gris sous le nez et des cheveux clair-semés (le dessus de son crâne dégarni brillait curieusement sous les lumières du magasin). Ses petits yeux bleus plissés considérèrent GzL un moment. Puis, il le dépassa et s'attarda devant un autre lapin en peluche, un peu plus gros.

Le monsieur sortit de sa poche une espèce de ruban couvert de chiffres. La vendeuse s'approcha et l'homme dit quelque chose à propos de « mesurer... dimension... centimètres... » Il tendait le ruban en long et en large devant le grand lapin et finalement secoua la tête de gauche à droite, l'air dépité.

Alors, il revint vers GzL et reprit son manège avec les mesures. Même si ça chatouillait, GzL prit bien garde de bouger le moindre poil. Enfin, l'homme hocha la tête de haut en bas et rangea son ruban. Il regarda GzL fixement, fermant un œil, puis l'autre.

Soudain, l'homme avança la main et souleva le lapin par les oreilles. Celui-ci faillit hurler de surprise!

Heureusement, l'homme reposa GzL sur l'étagère. Il examina un petit bout de papier accroché au lapin. L'air pensif, il lissa sa grosse moustache grise. Finalement, il marmotta quelque chose et fit mine de s'éloigner.

«Ouf! se dit GzL. Quel hurluberlu!»

Mais la vendeuse discuta un moment avec le monsieur. Puis, elle prit un crayon-feutre et raya les chiffres sur l'étiquette. À la place, elle inscrivit: *Vente moitié prix*. Alors, le monsieur sourit et la vendeuse aussi.

Elle saisit GzL et l'apporta au comptoir. Malheur! GzL, toujours figé, était désespéré.

La mouche, du haut du plafond, avait tout vu. Elle vint se poser près du lapin, profitant d'un instant d'inattention des deux humains. Ceux-ci s'échangeaient des billets.

— Que vais-je devenir? pleurnicha GzL tout bas. Tu étais ma seule amie...

La mouche hésita. Elle n'avait pas l'habitude d'avoir des amis. Mais GzL lui avait sauvé la vie. Et puis, elle avait toujours rêvé d'explorer les poubelles du vaste monde... Sur un coup de tête, elle se décida:

— Zois tranquille, dit-elle. Je ne t'abandonnerai pas!

La vendeuse emprisonna GzL dans un sac et le tendit au client. Quand le monsieur sortit du magasin, la mouche le suivit.

Chapitre 3

Chez le tire-oreilles

Biz s'était faufilée dans un autobus en même temps que l'homme qui avait enlevé GzL. C'était plein d'humains, mais elle se cacha sous une banquette. Une vieille gomme collée là fit ses délices. Quand l'homme descendit, elle le suivit encore jusqu'à son appartement. Hélas! au moment d'entrer, l'humain remarqua la mouche qui voltigeait autour de lui et la chassa du revers de la main. La porte se referma, empêchant Biz d'entrer.

GzL, ballotté dans sa prison étouffante, vit enfin le sac s'ouvrir. L'homme se pencha et le saisit de nouveau par les oreilles.

«Quelles vilaines manières!» pestait GzL intérieurement.

L'homme déposa le lapin dans quelque chose. Il avait fait si vite que GzL n'avait pas réalisé ce qui lui arrivait. Où était-il? C'était noir, étroit et ça sentait vaguement l'humain. Tremblotant, GzL releva légèrement la tête pour regarder au-dessus de lui. Il était dans une sorte de cylindre. Par l'ouverture ronde, il entrevit l'homme qui faisait de grands gestes et marmonnait des paroles bizarres.

«Qu'est-ce qui se passe? Est-il fou?» s'inquiétait GzL.

— Abracadabra! s'exclama l'homme.

De nouveau, il saisit GzI, par les oreilles et l'extirpa de... quoi? Un chapeau! Un chapeau haut-de-forme noir!

L'homme émit de petits glousse-ments, tandis que des soubresauts agitaient ses épaules et son bedon: il riait!

Avec une révérence comique, il fit semblant de saluer. Pourtant, en face de lui, il n'y avait qu'une vieille photo au mur. GzL jeta rapidement un coup d'œil autour de la pièce. Pas de trace de son amie Biz.

« Oh! non! Je suis seul avec ce... ce tire-oreilles! »

L'homme, de plus en plus bizarre, posa le haut-de-forme sur sa tête et adressa quelques mots à la photo, avec un drôle de sourire aux lèvres. Puis, il enleva le couvre-chef et le posa sur une étagère. Maintenant, il faisait de curieux bruits avec sa bouche. Le lapin n'avait jamais entendu siffloter, mais ce n'était pas désagréable. De nouveau, l'homme remit le lapin dans le chapeau.

GzL entendit le sifflement s'éloigner. Il attendit qu'il n'y ait plus aucun bruit avant de risquer une oreille hors du chapeau, puis un œil. Rien en vue. L'homme avait quitté la pièce. Alors GzL sortit du chapeau et examina les lieux.

À première vue, pour autant qu'il pouvait en juger, ce nouveau pays était bien moins luxueux que le pays magasin. C'était une petite pièce avec un lit, une commode, une chaise berçante, des étagères garnies de livres et de bibelots, des vieux cadres accrochés aux murs...

GzL observa avec curiosité la photo devant laquelle l'homme avait salué. On y voyait deux personnes côte à côte : une belle jeune fille en grande robe blanche qui tenait un bouquet de fleurs, et un jeune homme mince, avec une fine moustache noire, vêtu d'un complet élégant. Ce jeune homme était coiffé du même chapeau haut-de-forme dans lequel GzL avait été placé. Il ressemblait vaguement au monsieur bedonnant à la moustache grise... Le lapin hochait la tête, intrigué, quand un bourdonnement familier se fit entendre derrière lui :

BZ BZZ BZZZ ! La mouche virevoltait derrière la moustiquaire d'une fenêtre ouverte. GzL bondit tout joyeux sur le rebord.

— Zalut ! Za va ?

— Biz ! Comme je suis heureux de te revoir !

Les deux amis bavardèrent à travers la moustiquaire. GzL expliqua les manies de l'homme au chapeau. Quant à Biz, c'est avec un réel plaisir qu'elle décrivit ses découvertes aux alentours.

— Il y a d'appétiZantes crottes de chien dans la ruelle et des poubelles au fond de la cour. J'ai auZi fait la connaiZanZe du vieux Jo...

— Une autre mouche? demanda GzL.

— Ho... un peu plus gros, corrigea une voix grave, comme un sourd murmure à la fois doux et puissant.

— Qui a parlé? demanda GzL, tout étonné.

La fenêtre donnait sur une cour gazonnée, presque entièrement occupée par un chêne imposant aux gros bras noueux et à l'abondante chevelure verte.

— Le vieux Jo! répéta la mouche.

— Oui, le vieux Jo, c'est comme ça que les humains me surnomment, continua l'arbre de sa belle voix profonde. Ton amie m'a parlé de toi, jeune GzL. Content de te connaître. Jamais vu un lapin pareil! D'où viens-tu?

GzL hésita.

— Avant le pays magasin... je ne sais pas, monsieur.

Le lapin en peluche se colla le nez à la moustiquaire, étonné par ce nouveau pays, les nuages blancs qui gambadaient dans le vaste ciel, la caresse du vent quand l'arbre secouait ses branches...

— Connaissez-vous d'autres lapins vivant dans ce pays ? demanda-t-il.

— Ho... du côté du parc, oui. Je les vois de loin, parfois. Mais ils ne te ressemblent guère !

— Si je pouvais les rejoindre, dit GzL, ils sauraient peut-être me dire qui je suis et pourquoi je suis ici...

Le lapin appuya plus fort sur la solide moustiquaire, mais en vain. Il enviait son amie Biz, libre de l'autre côté. Dès que possible, pensait GzL, il s'évaderait de cette prison.

Mais à ce moment, des pas se firent entendre. Le lapin sursauta. Vite, il fallait regagner sa place dans le chapeau. Il bondit sur l'étagère. Dans sa hâte, il manqua de renverser un verre posé là. À l'intérieur, trempaient... des dents ! Le lapin, qui ignorait tout des dentiers, recula avec horreur. Il trébucha sur une sorte de piège à anneau (un trousseau de clefs) et alla rouler contre le chapeau, qui manqua glisser de l'étagère. GzL le retint de justesse.

Les pas s'approchaient, on entendait des voix. Vite, vite ! GzL, au comble de l'énervement, fit un dernier bond désespéré et... sa petite queue blanche disparut dans le haut-de-forme juste comme l'homme entrait dans la pièce. « Ouf ! »

GzL tendit l'oreille, anxieux. L'homme remarquerait-il les objets légèrement déplacés ? Peut-être pas ! Car le monsieur n'était plus seul : des éclats de rire fusaient autour de lui.

GzL entendit l'homme parler de « surprise » et de « tour de magie ». Il sentit qu'on soulevait le chapeau. De nouveau, il entrevit les grands gestes et entendit les paroles mystérieuses : « Abracadabra ! » GzL se raidit les oreilles, sachant trop bien ce qui l'attendait...

— Tadam ! lança le monsieur.

GzL se retrouva suspendu dans les airs tandis que l'homme s'inclinait.

En face de lui, un petit humain aux yeux pétillants battit des mains :

« Bravo, grand-papa ! » gazouilla-t-il d'une petite voix claire.

GzL entendit l'homme nommer l'enfant « Dominique ». Mais le lapin, qui connaissait encore peu les humains, n'aurait su dire à première vue s'il s'agissait d'un petit garçon ou d'une petite fille.

Le moment de surprise passé, l'enfant porta tout à coup les mains à ses propres oreilles et un nuage passa dans son regard:

— Ouille! grimaça Dominique.

Le grand-père s'esclaffa.

— Il n'est pas vivant, tu sais... dit-il en lui tendant le lapin.

GzL, tout crispé, se rappela le chien en peluche du magasin, qui avait eu l'oreille arrachée par des enfants...

Dominique ouvrit grands les bras pour accueillir le lapin, le prit délicatement et lui flatta les oreilles. GzL en fut agréablement surpris. Les doigts menus étaient très doux. L'enfant pressa le lapin tout contre son corps et alla embrasser l'homme. GzL fut encore plus étonné de sentir un petit cœur palpiter dans la poitrine du bambin. C'était chaud, rassurant. GzL se détendit un peu : ce petit humain n'était pas un tire-oreilles comme l'autre...

Le grand-père mit le haut-de-forme sur sa tête et rit avec l'enfant. Il désigna la photo au mur et dit quelque chose à propos de « grand-mère ». Puis, tous deux rirent encore plus fort quand l'homme posa le couvre-chef sur la tête de Dominique, qui n'y voyait plus rien parce que le chapeau tombait sur ses yeux. Ensuite ils descendirent un escalier, emportant chapeau et lapin en peluche.

GzL garda un souvenir plutôt confus de cette soirée, tant était nouveau le tourbillon de sensations qui l'assaillirent. Au rez-de-chaussée, il y avait de nouvelles pièces, d'autres humains, des odeurs de cuisine, l'aboiement d'un chien... Dominique, avec l'aide de son grand-père, fit le truc du chapeau devant sa famille (mais l'enfant saisit doucement le lapin par le corps plutôt que par les oreilles).

Tadam!

Il y eut des rires et des applaudissements.

Une femme fit jouer de la musique. Dominique entraîna son grand-père et le lapin en peluche dans une ronde. GzL se retrouva suspendu dans le vide entre les deux humains qui le tenaient chacun par une patte. Au début, il eut un peu peur. Puis, l'excitation l'emporta. La musique vibrait dans ses oreilles, Dominique riait, la dame chantonnait en tapant des mains, toute la pièce tournoyait... C'était amusant!

— Ouf! fit le grand-père en se prenant le front, c'est assez pour moi: ça m'étourdit!

Il alla s'asseoir dans un coin, les jambes flageolantes. Mais grand-père n'était pas le seul à être étourdi : GzL sentait ses oreilles toutes molles. Les murs semblaient tourner encore même si on s'était arrêté. Dominique fit asseoir son lapin et celui-ci s'affala de côté. L'enfant le redressa et GzL eut toutes les peines du monde à se tenir droit...

Les gens passèrent à table, laissant le lapin en peluche sur le fauteuil. Le chien de la maison, un dénommé Boudin, vint le renifler avec insistance. GzL sentit l'haleine chaude du chien et remarqua son regard étonné, mais se garda bien de dire un mot. La langue gluante et les grandes dents jaunes étaient dangereusement proches. Par bonheur, le petit humain vint le chercher.

— Coucher lapin dans sa maison-chapeau? demanda Dominique à son grand-père.

Apparemment, l'enfant était persuadé que le chapeau était la demeure du lapin, et le grand-père accepta qu'il y réside en permanence. Ils remontèrent à l'étage et rangèrent le lapin dans le haut-de-forme sur l'étagère. Avant de partir, Dominique posa sa bouche sur le front du toutou. Ses lèvres firent un drôle de petit bruit, qui résonna plaisamment dans les oreilles du lapin. Puis, les deux humains redescendirent, laissant GzL de nouveau seul. Ébahi, GzL s'interrogeait: que signifiait donc ce geste surprenant de l'enfant?

Le vieux monsieur revint un peu plus tard. Le lapin épiait les bruits: allait-il encore se faire tirer les oreilles? Non. L'homme ouvrait la penderie, puis un tiroir, en chantonnant.

«Bonne nuit ma mie» murmura-t-il devant la photo.

Enfin, il se coucha. Bientôt, le grand-père se mit à souffler bruyamment avec sa bouche. C'était loin d'être aussi agréable que le sifflotement, au contraire!

GzL replia ses longues oreilles pour essayer d'atténuer le bruit du ronflement. Il tâcha de se recroqueviller du mieux qu'il put au fond de ce chapeau étroit. C'était plutôt inconfortable mais, épuisé par toutes les émotions de cette journée, il finit par s'endormir à son tour.

Chapitre 4

Aventures dans la cour

BZ BZZ BZZZ !

GzL, qui dormait mal à cause du ronflement, s'éveilla pour de bon au son du bourdonnement familier. Il s'étira hors du chapeau. Le monsieur dormait toujours dans son lit au fond de la pièce. Il était tourné sur le côté, face au mur. Une pâle lueur filtrait par la fenêtre. Biz était là, tout excitée. Sans faire de bruit, GzL la rejoignit sur le rebord de la fenêtre. Il fit signe à Biz de parler bas. De toute façon, elle avait une très petite voix et le bruit des ronflements couvrait leurs chuchotements.

— BZZ ! Regarde qui j'ai amené... Je te préZente H!ip.

Dans l'aube naissante, au pied du vieux Jo, un gros lapin brun levait la tête vers la fenêtre. La mouche, suivant les indications de l'arbre, était allée le chercher dans un parc voisin. Il avait un visage taquin et un parler saccadé.

— Bon-bonjour ! dit H!ip. Ton-ton amie m'a dit que tu souhaitais voir un lapin-pin ?

— Oui, fit joyeusement GzL. Peut-être sommes-nous de la même famille ?

Le lapin brun regarda le toutou en peluche blanche d'un air sceptique.

— Hum-hum! Ça m'étonnerait! Ou alors un très lointain cousin-sin! Mais si je peux t'aider, ça me fera plaisir-sir!

GzL semblait un peu déçu.

— J'aimerais savoir pourquoi je suis ici, demanda-t-il. Qu'est-ce que... qu'est-ce que ça fait comme travail, un lapin?

— Tra-travail? fit l'autre, intrigué. Connais pas-pas! Évidemment, il faut trouver un abri... s'occuper des petits-tits... j'en ai douze à la maison-son!

Soudain, les oreilles du lapin brun se dressèrent. Des grognements et des halètements s'approchaient.

— Bien-bienvenue chez moi quand tu veux! Salut-lut! lança H!ip à GzL.

Boudin se précipita en aboyant. Le lapin brun lui fit une grimace, puis détala juste à temps sous la haie. Dans la chambre, derrière GzL, il y eut un froissement de draps.

Le lapin en peluche se retourna vivement vers le lit : fausse alerte ! Le grand-père avait tiré les couvertures sur sa tête. GzL se retourna vers son amie.

— Merci d'être allée le chercher, dit-il, sur un ton quelque peu mélancolique.

— BZZ ! Tu arriveras bien à t'évader, bourdonna la mouche.

Le vieux Jo s'étira les branches avec un bruissement léger.

— Ho ! jeune ami, ne fais pas cette tête, intervint-il. Regarde comme la matinée est belle !

Le soleil doré se levait. Les oiseaux chantaient gaiement. Des abeilles s'affairaient autour des fleurs.

— Vous, que faites-vous comme travail? demanda GzL au vieux Jo.

L'autre haussa ses épaules noueuses.

— Travail... ho... j'ai des cousins qui font des meubles... ou des maisons... mais moi je préfère rester ici.

— Alors, vous êtes inutile?

— Ho!... un peu de respect pour tes aînés, gronda Jo.

Mais il se radoucit presque aussitôt:

— Voyons... J'abrite les nids des oiseaux... les écureuils apprécient mes glands... mon ombre protège les gens du soleil... les jeunes aiment grimper sur mes branches. Et tu vois cette balançoire, accrochée à mon bras ? Toute la famille s'y berce depuis des années !

— La famille ?... interrompit GzL. Vous voulez dire les humains ? Ils sont bizarres, je trouve.

— C'est pourtant Henri qui m'a transplanté ici après son mariage, dit Jo. Henri, l'homme qui t'a acheté. Moi, je venais d'une pépinière. Je n'étais alors qu'un jeune freluquet avec bien moins d'anneaux dans mon tronc.

Il y avait plusieurs choses que le jeune lapin blanc ne comprenait pas. Le vieux Jo lui expliqua. Henri, à cette époque, ressemblait à la photo sur le mur. La jeune fille, à ses côtés sur la photo, était son épouse. Ils avaient eu des enfants. Sa fille aujourd'hui avait grandi et avait à son tour des enfants. Henri occupait la chambre à l'étage, tandis que la fille et sa famille occupaient le rez-de-chaussée. Henri était vieux, maintenant, et sa femme était morte.

Le lapin ouvrait de grands yeux éberlués. Il ne savait pas qu'on pouvait grandir, encore moins vieillir et mourir !

À ce moment, Dominique se pointa dans l'embrasure de la porte, en pyjama et pieds nus. Voyant le lapin en peluche sur le rebord de la fenêtre, l'enfant s'approcha sur la pointe des pieds, sans avoir l'air trop surpris de le trouver là.

— Allô, lapin ! chuchota Dominique.

Le lapin, déconcerté, n'osait répondre. Il se méfiait encore des humains. L'enfant l'avait-il entendu parler à l'arbre? Savait-il que son lapin en peluche était vivant?

Le grand-père rabattit sa couverture. Il se gratta la tête, cligna des yeux, sourit en reconnaissant Dominique et se leva. Il avait une allure un peu comique, avec son pyjama à pois, ses rares cheveux ébouriffés, et une de ses pantoufles trouée. Croyant que l'enfant avait déplacé le lapin, le grand-père marmonna quelque chose comme «petitespiègle!» Pourtant, ses yeux riaient, même quand il fit semblant de tirer l'oreille de Dominique. Puis, le grand et le petit humain descendirent à la cuisine.

Après déjeuner, l'enfant voulut faire visiter sa propre chambre au lapin. C'était une pièce ensoleillée, égayée par des dessins colorés affichés au mur. Sur un petit lit, reposaient d'autres toutous. Dominique les présenta au lapin. L'enfant faisait parler les toutous avec une petite voix aiguë. De même, il agita la petite patte du lapin et lui fit dire «Allô!» avec sa propre voix. «Faim?» demanda Dominique. «Oui» reprit sa voix aiguë, en inclinant la tête du toutou. L'enfant lui tendit un bout de crayon de cire orange. GzL le lécha discrètement et, surpris, trouva que ça avait bon goût.

Puis, Dominique fit marcher le lapin jusqu'à la fenêtre de sa chambre et le fit danser sur le rebord en riant. GzL, chatouillé par ces petits doigts potelés sur son corps, ne put se retenir de pouffer de rire lui aussi. L'enfant ne sembla pas en faire de cas.

— Jouer dehors? demanda Dominique.

Dehors? GzL, sans réfléchir, répondit « Oui » en imitant la petite voix
aiguë.

— Oui, dehors, répéta Dominique
en approuvant vivement de la tête.

Peut-être l'enfant n'avait-il pas
réalisé que c'était vraiment le lapin
en peluche qui parlait. Ou bien, à son
âge, il jugeait naturel que les toutous
parlent.

Dominique alla dans la cuisine rejoindre son grand-père, qui sirotait un
liquide fumant devant un journal.

— Lapin dehors? dit l'enfant.

— Le lapin dort? comprit le grand-
père.

— Non, lapin veut jouer dehors... il l'a dit.

Henri sourit. Dominique parlait du toutou comme s'il était vivant!

— Il t'a dit ça, hein? Eh bien... c'est un lapin de magicien, après tout! déclara-t-il d'un ton malicieux.

Ils s'habillèrent et sortirent dans la cour. Le grand-père s'installa sur une chaise de jardin pour lire son journal et Dominique fit faire le tour du propriétaire au lapin en peluche. GzL n'en revenait pas de la chaleur du soleil, de la texture soyeuse de l'herbe, du parfum des fleurs... Il apprécia un peu moins l'odeur des poubelles, mais fut tout heureux d'y retrouver son amie Biz. Elle vint voleter autour d'eux et l'enfant ne semblait pas s'en offusquer.

— Ne joue pas près des poubelles! avertit le grand-père. Tiens, viens te balancer!

Dominique s'installa sur la balançoire, à l'ombre du vieux Jo.

— Ho! bienvenue, ami lapin... souffla l'arbre.

L'enfant cala le toutou entre ses jambes et Henri donna une poussée.

Monte, descend. Encore! Plus haut! GzL écarquilla les yeux, étouffa un petit cri d'excitation. C'était amusant! Biz voltigeait autour d'eux, la lumière du soleil scintillait à travers le feuillage de Jo, Dominique riait quand les gros doigts d'Henri lui chatouillaient les côtes au passage. C'était merveilleux! La balançoire prit de la vitesse, monta, monta... GzL, sous le coup de l'enthousiasme, se tortilla pour mieux voir et... oups!

— Biz, regarde, je vole, je vole! s'exclama le lapin en agitant ses petites pattes de peluche.

GzL, éjecté brusquement de la balançoire, dépassa son amie et alla terminer son vol plané dans une plate-bande de marguerites.

— Rien de caZé? s'inquiéta la mouche.

— Yahou! c'est amusant! lança GzL en redressant la tête et riant de bon cœur.

— Chut! Bouge plus! Voilà le petit deux-pattes! prévint Biz, toujours méfiante à l'égard des humains.

Dominique se précipitait pour récupérer le toutou. GzL reprit son immobilité de peluche même si, au fond, il savait maintenant que les craintes de la mouche étaient exagérées. Le lapin avait des pétales blancs sur la tête et du pollen jaune sur le museau. L'enfant le débarbouilla gentiment. Ils retournèrent se balancer, mais en douceur cette fois. L'enfant tenait fermement le toutou et GzL se sentait bien comme ça.

À un moment donné, Dominique s'agita, l'air mal à l'aise, et parla de «pipi» à son grand-père. Celui-ci prit l'enfant par la main et se hâta de rentrer à la maison.

GzL était resté sur la balançoire. Le vieux Jo le balançait doucement.

— Viens, Z'est le temps de filer! s'exclama la mouche.

Mais quand le grand-père était entré avec Dominique, le chien en avait profité pour sortir. Boudin se dirigea vers eux, tournoyant autour de la balançoire. De toute évidence, il flairait quelque chose de suspect. Brusquement, le chien plaqua sa truffe humide contre GzL. Celui-ci ne put s'empêcher de sursauter en poussant un petit cri. Le vieux Jo, inquiet, tenta de secouer ses branches pour écarter la balançoire. La mouche, quant à elle, se posa sur le nez du chien pour détourner son attention, puis autour des yeux, dans ses oreilles.... Le chien secoua la tête en grognant et ouvrit la gueule au-dessus de GzL.

Waf! Waf!

Des aboiements éclatèrent. Mais ce n'était pas Boudin qui jappait!

Waf! Waff! Wafff! aboyait GzL de plus belle.

Par instinct, il avait réagi en imitant le chien. Boudin, étonné, recula.

Wouf! Grrr... Wrouuuufff! renché-
rit le lapin en peluche. Il sauta de la
balançoire et courut vers le chien.

Boudin resta figé un instant
devant ce spectacle extraordinaire.
Là, c'en était trop pour lui! Il prit ses
pattes à son cou et alla se terrer derrière les poubelles.

— Bravo! cria Biz. Chou pour le
chien!

— Ho! ho! rigola Jo. Jamais vu ça!
C'est le monde à l'envers!

La porte de la maison s'ouvrit pré-
cipitamment. GzL fit le mort. Le petit
enfant trottina jusqu'à lui, suivi du
grand-père.

— Boudin, mauvais chien, sors des
poubelles! lança Henri avec une
grosse voix, en se dirigeant vers l'ani-

mal. Boudin fila ventre à terre jusqu'à la maison.

Dominique ramassa le lapin. GzL vit que l'enfant avait de l'eau dans les yeux. Et il sentit le petit cœur humain qui battait très fort. Alors GzL comprit que Dominique s'inquiétait pour lui! Impulsivement, il fit un clin d'œil à l'enfant pour le rassurer. Le visage du bambin s'éclaira d'un grand sourire. Dominique fit de nouveau ce bruit agréable avec sa bouche, sur le front de GzL. Et GzL se sentit tout heureux.

— Je t'aime, lapin magique, chuchota l'enfant.

«*Aimer*»?...

GzL apprenait là un nouveau mot. C'était un beau mot.

Chapitre 5

Passages secrets

Au début de l'après-midi, le grand-père fit une sieste et l'enfant amena le lapin avec lui pour jouer dans sa chambre. Avec les crayons de cire, Dominique traça des lignes de couleur sur un papier.

— Toi et moi sur la balançoire, dit l'enfant au toutou en lui montrant le dessin.

Il fallut à GzL un brin d'imagination pour se reconnaître, mais il en fut ravi !

La mère de Dominique vint jeter un coup d'œil dans la chambre. Elle complimenta l'enfant pour son dessin en lui tapotant la tête. Puis, elle lui demanda de ranger ses jouets, en lui montrant comment faire : les crayons de cire dans cette boîte, les petits bonshommes ici, les blocs là... Quand sa mère fut partie, Dominique reprit ses jeux et bientôt, la pièce fut de nouveau tout en désordre. Après s'être penché un certain temps sur un casse-tête, l'enfant sentit ses yeux s'alourdir et s'endormit.

Le lapin considéra la pièce en désordre. Sans trop savoir pourquoi, il remit une petite auto sur une étagère, puis un ballon dans le placard. Curieusement, cette activité lui plaisait. En faisant le ménage, il se sentait utile. Il continua et, après quelques minutes, la chambre était impeccable.

La mère revint voir Dominique. Elle sourit en voyant le bambin endormi et la pièce bien rangée. Elle prit l'enfant et le déposa dans son lit pour son somme de l'après-midi. Elle se pencha et fit elle aussi ce joli petit bruit avec ses lèvres sur le front de Dominique.

GzL observait tout cela, immobile dans un coin. C'était beau. Puis, la mère le vit. Elle ramassa le toutou et lui tapota la tête, comme elle avait fait pour l'enfant! GzL en fut tout surpris et... un peu ému. Ensuite, la dame alla déposer avec soin le lapin dans le haut-de-forme de son père, à l'étage.

GzL commençait à s'habituer à ce chapeau. Il lui semblait que ce n'était plus aussi étroit. Il s'installa le plus confortablement possible et fit la sieste lui aussi.

* * *

En soirée, Henri prit un livre sur les rayons de la bibliothèque puis s'assit dans sa chaise berçante, avec Dominique sur ses genoux et le lapin dans les bras de l'enfant.

Le grand-père commença à lire une histoire. GzL ne saisissait pas tous les mots, mais il y avait de belles images. C'était une drôle d'histoire, avec une petite fille nommée Alice qui tombait dans un trou de lapin. Elle se retrouvait dans un pays merveilleux. À un moment donné, le grand-père se servit du lapin en peluche pour imiter le lapin du conte. Dominique riait aux éclats et même GzL avait de la difficulté à retenir les petits retroussements de son museau.

Après quelques pages, ce fut l'heure du coucher. Henri referma le livre de contes.

— Nous continuerons un autre soir, dit-il. Allons, au dodo... minique!

L'enfant embrassa son grand-père, puis le lapin en peluche. GzL retourna dans le chapeau. Pendant un bon moment, le grand-père continua à lire, un autre livre, sans images celui-là. Le lapin, la tête sortie du chapeau, l'observait par derrière. Puis le grand-père se leva, souffla un bécot en direction de la photo, et se coucha. Peu après, le ronflement reprenait. En un sens, c'était comme une sorte de musique, devenue de plus en plus familière aux oreilles de GzL.

BZ BZZ BZZZ !

La mouche revint bavarder à la fenêtre. Elle cherchait des moyens de faire évader son ami.

— Zauve-toi par la porte quand ils Zortent le chien, suggéra-t-elle.

— Ou bien, tu peux toi-même essayer d'entrer, proposa GzL.

— Être priZonnier comme toi? J'aime trop la liberté!

— Ho! ho! liberté de voltiger dans les poubelles, taquina le vieux Jo. Moi, je préfère rester solidement en place.

— Hum... je crois bien que je vais attendre un peu, conclut GzL.

Il trouvait qu'il y avait du bon chez les humains, quand on apprenait à mieux les connaître. Et puis, il voulait bien savoir la fin de l'histoire que le grand-père avait commencé à raconter.

— Dites donc, demanda GzL à brûle-pourpoint, qu'est-ce que la magie?

— Za n'exiZte pas, répondit la mouche, catégorique.

— Ho... ça dépend, dit Jo. Pourquoi demandes-tu cela?

— J'ai entendu le grand-père en parler. Je pense que Dominique sait que je suis vivant. Henri a dit que j'étais un *lapin de magicien*, mais il ne le croit pas vraiment, il me semble...

— Eh bien... murmura l'arbre, si l'enfant parle à un toutou en peluche, si le vieil homme parle à une photo, c'est peut-être ça, la magie. Elle est dans le cœur de chacun.

GzL ne comprenait guère ces paroles. Mais ce soir-là, il fit des cabrioles en rentrant dans son haut-de forme.

«Après tout, songea-t-il, je suis plutôt bien dans ce chapeau!»

Peu à peu, GzL s'habituait à ce pays. Il y avait connu Biz, le vieux Jo, ce petit humain et son grand-père. En songeant à eux, une douce chaleur s'allumait dans son cœur de peluche. Il s'endormit en souriant.

* * *

À force d'observer les humains, le lapin en peluche apprit l'usage des portes. La nuit, ou même le jour, quand les humains s'absentaient de la maison, il sortait jouer dehors. Le chien ne l'ennuyait plus (au contraire, Boudin semblait prendre GzL pour un chien supérieur, et le saluait toujours respectueusement, queue entre les pattes et oreilles rabattues). GzL adorait bavarder avec ses amis Biz et Jo. Devant les gens, par contre, il préférait toujours rester muet. Sauf avec Dominique, parfois, mais ce n'était pas pareil...

Souvent, le lapin en peluche aidait l'enfant à faire le ménage dans sa chambre. Ensemble, ils sautillaient parmi les jouets éparpillés sur le plancher : hop! ramasse ici, hop! range là, et hop! et hop!... La mère félicitait Dominique pour ses bonnes habitudes.

Parfois, il y avait de menus objets qu'on ne retrouvait plus. Oh! rien de bien grave, ce sont des choses qui arrivent. En fait, GzL s'était permis de les prendre pour meubler son chapeau : une petite table de maison de poupée, quelques blocs en guise de chaises, une vieille chaussette pour matelas, un griffonnage de Dominique, des bouts de crayons de cire à grignoter... Chose curieuse, au

fur et à mesure que GzL s'apprivoi-
sait à la vie sur Terre, son chapeau
semblait s'agrandir par en-dedans.
Apparemment, les humains ne s'en
rendaient pas compte.

GzL tenait sa maison-chapeau bien
en ordre. Une fois, alors qu'il épousse-
tait l'intérieur avec un bout de mou-
choir en papier, il fit une découverte
surprenante. À un endroit, la doublure du chapeau était légèrement dé-
cousue. Il l'examina pour voir s'il
pourrait la recoudre. En soulevant
cette doublure intérieure, tout juste
derrière, il découvrit un petit trou.
Poussé par la curiosité, il s'y engagea.

C'était bien plus profond qu'il n'aurait cru. Un long tunnel sombre. Ça
sentait la terre humide, il faisait
frais. GzL frissonna : il commençait à
avoir peur ! Il essaya de siffler comme
le grand-père, pour se donner du

courage, mais il n'y arrivait pas, avec ses grandes dents de lapin.

GzL songea à rebrousser chemin mais... qu'y avait-il au bout?

«Encore trois bonds, pas plus, se dit-il, après je reviens.»

Hop! un bond... Hop! deux... il y avait une petite lueur sur la gauche, des bruits... ça remontait... Hop! trois bonds... H!ip, il était chez H!ip! Le tunnel débouchait, par une petite fente, dans un coin du terrier du gros lapin brun. H!ip fut bien surpris de voir surgir ainsi le lapin de peluche.

— Ça alors, bienvenue-nue! s'exclama H!ip. D'où-d'où sors-tu comme ça?

— C'est un tunnel jusqu'à la maison des humains! répondit GzL avec excitation.

— Sans bla-blague? En tout cas, moi je serais bien trop gros pour passer par là-là! Mais viens que je te présente ma famille... Voici H!ipie, H!ipla, H!iplette, H!ipip!ourra, H!iplaïtourne... (et bien d'autres comme ça, dont GzL n'arriva pas à retenir tous les noms!).

H!ip lui fit visiter son pays: le parc. Ils grignotèrent de l'herbe (GzL en mangea par politesse, mais trouvait que les crayons de cire avaient bien meilleur goût...). Par contre, la rosée de minuit était délicieuse, et on était facilement tenté d'en lécher un peu trop. H!ip força la dose et... hic! hic! fut pris d'un super-hoquet.

— Reviens-hic! bientôt-tôt-hic! dit H!ip, quand GzL prit congé de ses hôtes, tard au milieu de la nuit.

— Oui, oui, promis, répondit GzL.

Les oreilles lui gargouillaient, sous l'effet enivrant de la rosée. Il zigzagua un peu dans le tunnel, mais revint finalement au creux de son chapeau où il s'affala sur la chaussette, ronflant comme le grand-père.

Le réveil fut difficile le lendemain : il avait une indigestion d'herbe et la gueule de bois (façon de parler, bien sûr). Il n'avait guère d'entrain pour jouer avec Dominique. GzL se promit de boire et manger plus modérément quand il rendrait de nouveau visite à H!ip et sa famille. Les autres fois, d'ailleurs, il se contenta de grignoter des bouts de crayons de cire qu'il apportait avec lui. La famille H!ip n'appréciait guère ce mets, mais leurs rencontres furent toujours très joyeuses.

Par la suite, GzL découvrit que d'autres passages s'ouvraient derrière la doublure du chapeau magique. De l'extérieur, on ne les distinguait pas. Ils donnaient non seulement sur le monde visible, mais aussi sur des pays imaginaires! L'un des passages, par exemple, menait à la maison du lapin du Pays des merveilles. Celui-ci lui avait présenté Alice, une jeune fille charmante. Ils avaient pris le thé ensemble chez le lièvre de Mars.

Pendant que GzL était au Pays des merveilles, Henri avait déplacé le chapeau pour épousseter l'étagère. Le grand-père ne porta guère attention à l'absence du lapin, car Dominique l'apportait souvent dans sa chambre. GzL revint sur ces entrefaites. Quand Henri remit le chapeau en place, il remarqua le toutou.

«Voyons, se dit le grand-père en se grattant le crâne, ce lapin... il était là ou pas?»

Bah! Parfois on est distrait, on a quelque chose sous les yeux et on ne le voit pas... Oui, oui, bien sûr, ce sont des choses qui arrivent, n'est-ce pas? Henri haussa les épaules et n'y pensa plus.

GzL appréciait beaucoup ses excursions dans les tunnels du chapeau. Mais il n'aurait voulu pour rien au monde manquer les séances de lecture avec Dominique et Henri. Il appréciait ces doux moments où l'enfant le pressait sur son cœur en écoutant les paroles magiques du conte. Surtout que grand-père avait commencé une nouvelle histoire où il était question d'un aviateur en panne dans le désert. Il y rencontrait un drôle de petit bonhomme qui venait des étoiles.

GzL était particulièrement attiré par ce conte, sans trop savoir pourquoi. Peut-être à cause des étoiles? Car souvent, la nuit, le lapin en peluche se levait pour contempler les constellations. D'une certaine façon, le velours sombre du ciel lui faisait penser à l'intérieur du chapeau. Quand il rentrait dans le haut-de-forme, il lui semblait voir encore scintiller les étoiles pendant un certain temps sur le feutre noir.

Y avait-il aussi des passages dans le ciel?

Chapitre 6

La tempête

Parfois, GzL trouvait le ciel déroutant. Les jolis petits nuages blancs pouvaient s'agglutiner en monstres gris et pleurer abondamment sur la Terre.

— Je déteZte la pluie! maugréait la mouche, cramponnée sous le rebord extérieur de la fenêtre. Je déteZte le vent!

— Pouvez-vous cesser de remuer vos bras comme ça? demanda GzL au vieux Jo. Vous voyez bien que ça ennuie Biz!

— Ho! ho! Je ne crée pas le vent, expliqua Jo, je danse avec lui.

Ce soir-là, le ciel était particulièrement agité. De sourds roulements grondaient dans la mer de nuages. Comme si on déplaçait des meubles dans le ciel.

«Peut-être quelqu'un fait-il du ménage là-haut? Peut-être quelqu'un lave-t-il le pays céleste, quand l'eau ruisselle des nuages?»

Tandis que GzL s'interrogeait, des bruits de tonnerre se firent entendre.

«Oh! là là! Les habitants du ciel ont dû échapper quelque chose de lourd...»

L'orage approchait. Le vieux Jo dansait à un rythme endiablé sous les rafales de plus en plus fortes. Toutes frémissantes d'excitation, des feuilles partaient à l'aventure, tourbillonnant dans le vent entre les grosses gouttes de pluie.

GzL sentit l'inquiétude le gagner. Il voulut crier à l'arbre de se calmer, mais sa petite voix ne pouvait couvrir le vacarme des éléments.

— Ho! ho! ho! faisait l'arbre, une bonne douche, ça ravigote!

Soudain, un grand éclair bleu creva les nuages avec fracas.

Ce fut extrêmement rapide... et horrible! Il y eut une subite bouffée de chaleur et une gerbe d'étincelles. Puis un craquement sinistre et une odeur de bois brûlé. Le tronc de Jo se fendit de part en part, frappé par la foudre.

Une branche arrachée fit voler en éclats la vitre de la fenêtre. GzL tomba à la renverse sur le plancher et vit une petite étincelle bleue de l'éclair virevolter dans la chambre jusque dans le chapeau haut-de-forme.

Henri se réveilla en sursaut et se précipita à la fenêtre. Il ne remarqua même pas le lapin en peluche, par terre. Déjà, en bas, la maisonnée s'agitait. On courait, on s'interpellait... Grand-père descendit l'escalier en toute hâte.

GzL, trop effrayé pour retourner à la fenêtre, courut à toutes pattes se cacher dans son chapeau. L'étincelle avait percé un petit trou à l'intérieur, en plein centre. Elle luisait encore faiblement au fond du trou. À la vue de cette lueur bleue, une idée germa dans l'esprit de GzL. À tort ou à raison, il s'imagina que c'était lui qui avait attiré cet éclair. Il était persuadé que c'était à cause de lui que son ami Jo avait été frappé par la foudre.

Alors de grosses larmes blanches coulèrent des petits yeux du lapin en peluche. Et chaque fois qu'une des larmes tombait dans le petit trou de l'étincelle, un filet de vapeur blanche s'en échappait.

Un peu plus tard, Henri revint avec sa fille. Ils ramassèrent les éclats de verre répandus sur le plancher et tirèrent le rideau. Puis, la dame sortit et Henri s'habilla. Son visage était sombre, ses yeux éteints.

— C'est l'arbre que nous avions planté, ma douce, murmura-t-il à la jeune fille sur la photo.

L'homme redescendit. Lentement, GzL se glissa hors du chapeau. Encore plus lentement, il se dirigea vers la fenêtre et se faufila derrière le rideau. À contrecœur, il regarda.

L'orage avait pris fin. La moitié de Jo gisait par terre, fracassée. L'autre moitié restait debout, le cœur carbonisé. Tous les membres de la famille l'entouraient. Dominique et d'autres enfants, insouciants, couraient parmi les branches du géant abattu. Il n'y avait aucune trace de Biz.

Les fines oreilles de GzL décelèrent des murmures confus dans la partie de l'arbre toujours dressée. Jo vivait encore, mais il était inconscient. La sève s'écoulait de ses blessures. Ses amis humains pourraient-ils le sauver?

Parmi les personnes dans la cour, il y avait un homme que GzL ne connaissait pas. Cet homme s'approcha de Jo. Il avait en main un drôle d'engin. Une pétarade en jaillit. La scie mordit le bois avec une plainte stridente.

Le petit cœur en peluche de GzL se fendit de chagrin.

— Jo! Jo! cria-t-il.

Mais le vacarme grossier de la scie couvrait sa voix. Pourtant, au-delà du tumulte de l'engin de mort, GzL crut soudain percevoir un faible bruissement. Était-ce une illusion?

«Ho... amis... au... revoir!»

Au revoir? Non, trop tard! GzL se détourna et se boucha les oreilles pour ne pas entendre le bruit sourd de la chute. Il courut se terrer dans son chapeau.

De nouveau, il pleura, pleura et pleura encore. Les larmes blanches s'engouffraient dans le trou et enfonçaient l'étincelle. Peu à peu, le trou s'agrandissait. Un panache de vapeur blanche s'en échappait et sortait du chapeau.

GzL contempla ce trou au fond duquel palpitait toujours une lueur bleue. Il comprit alors que c'était un nouveau passage, bien plus étrange que les autres. Il en eut peur. Il bondit hors du chapeau et chercha fébrilement un endroit où se réfugier. Enfin, GzL trouva la cachette idéale.

BZ BZZ BZZZ!

Quelque temps après, la mouche fit irruption dans la pièce, par le carreau brisé.

— GzL! GzL! As-tu vu? Pauvre, pauvre Jo! Moi, le vent m'a emportée très loin... J'ai mis des heures à revenir... GzL, où es-tu?

Biz vit le chapeau de GzL et y entra. Il était vide, mais elle aperçut le trou au fond. GzL lui avait déjà parlé des passages secrets dans son chapeau. Elle avait eu peine à le croire, mais il semblait bien que c'était vrai. Pensant que GzL était là, la mouche s'enfonça dans le trou.

Chapitre 7

Des intrus à bord

BZZZ...

Pendant ce temps, sur la grosse étoile bleue, le savant GvL et l'ordinateur OuOu se querellaient : qui avait commis l'erreur impardonnable ? GzL, ce petit être que GvL avait mis tant de soins à créer, n'était pas revenu dans le four spatio-temporel après sa cuisson de six mille ans. Qui sait où il avait pu être expédié dans l'espace et dans le temps ?

-- boP! -- 1+1+1 = 3, pas 111 -- boP! -- cliquetait OuOu.

— Tu aurais dû être plus clair, imbécifil tas de fils! grognait le savant.

BZZ BZZZ...

Soudain, le savant et son ordinateur cessèrent de se chamailler: un bruit étrange ainsi qu'une vive lueur provenant du four attirèrent leur attention.

BZ BZZ BZZ!

GvL alla aussitôt voir ce qui se passait. Il ouvrit la porte et une petite chose bourdonnante jaillit du four. Ça virevoltait en tous sens jusqu'à ce que - paf! - l'objet se cogne contre la paroi transparente du bateau-laboratoire et retombe par terre.

GvL s'approcha pour l'examiner de plus près. C'était une sorte de bestiole à six pattes. Ses antennes avaient été abîmées par le choc. La bête semblait étourdie, mais gigotait encore faiblement. Heureusement pour elle, une mince pellicule intemporelle lui collait encore à la peau. Sinon, elle n'aurait pas survécu longtemps dans l'environnement surchauffé et irrespirable du labo.

— Qu'est-ce que ça peut bien être? se demanda GvL.

Il la ramassa, ouvrit un tiroir dans le cerveau de OuOu et y plaça la petite bête.

— Tiens, analyse-moi ça, commanda-t-il.

L'ordinateur referma son tiroir et une ampoule noire s'alluma au-dessus: OuOu se concentrait.

Pendant ce temps, le savant examinait le four pour voir d'où pouvait bien venir cet animal. Il enfonça sa tête dans le trou noir de la machine spatio-temporelle. Très loin, tout au fond d'un long tunnel, il restait une pâle lueur bleue. GvL s'étira, s'étira encore pour aller y voir de plus près. La lueur provenait d'une étroite ouverture. De peine et de misère, le savant parvint à y glisser ses longues oreilles, qui lui servirent de périscope pour regarder tout autour. Et ce qu'il vit était très étrange...

* * *

— Gros lapin? balbutia Dominique. Gros lapin?

Après l'orage, l'enfant était monté à la chambre de son grand-père pour chercher le lapin en peluche et lui raconter les événements. C'est à ce moment que les deux grandes oreilles du savant GvL s'étaient dressées hors du chapeau.

— Gros lapin? répéta Dominique, qui se demandait si son toutou avait mystérieusement grandi à la suite de l'orage.

L'enfant tendit la main pour saisir le lapin, mais les oreilles s'enfoncèrent aussitôt à l'intérieur du chapeau. L'enfant, excité, plongea la main, puis son bras, jusqu'au coude, jusqu'à l'épaule...

— Où parti lapin?

* * *

Au laboratoire, le savant GvL sortit en hâte la tête du four, encore éberlué par la vision de cet horrible petit animal à deux pattes auquel il avait échappé de justesse. C'est alors que...

Bading! Tadam! Boum!

Sous le regard horrifié de GvL, voilà que l'affreux animal dégringolait à son tour hors du four! Tout comme la bestiole à six pattes, une mince pellicule intemporelle le protégeait lui aussi. Le petit être bizarre regarda autour de lui, ses grands yeux pétillant d'excitation. Puis, sur ses deux courtes pattes ridicules, il trottina jusqu'à GvL.

«Allobogrolapin!» fit-il d'une drôle de petite voix, les bras grands ouverts.

«Beurk! Quel petit monstre dégoûtant! Ça doit être plein de microbes!» se dit GvL.

Le savant s'écarta, mais il accrocha au passage un gros bocal de schwingoulmt qui traînait par terre (car le laboratoire était comme toujours en désordre). Le schwingoulmt se renversa et GvL glissa dedans. Pauvre lui, il s'éparpilla en un million de bulles !

-- blopblopblopblopblopblopblop... -- pouffa OuOu, toutes lumières clignotantes de rire.

«Hihihihi!» rigola l'abominable petit animal en tapant des mains.

Ce dernier se mit à fureter partout dans le laboratoire, amplifiant encore le désordre en renversant des flacons comme GvL et riant aux éclats.

— OuOu, vite, envoie-lui un hypnochutt! ordonnèrent en chœur les petites bulles de GvL avec un million de voix aiguës.

Un nouveau tiroir d'OuOu s'ouvrit et une auréole multicolore en jaillit. En tournoyant, elle alla se placer au-dessus de la tête de l'intrus. Le petit monstre se calma aussitôt, comme hypnotisé, ses deux grands yeux figés.

Pendant ce temps, les petites bulles se regroupèrent et GvL finit par reprendre sa forme.

— Quelle journée! se lamenta-t-il. Il faut vraiment réparer ce four! Tout ça parce que tu t'es trompé dans les instructions de cuisson, OuOu!

Surmontant sa répulsion, GvL examina la créature de plus près. Il perçut aussitôt le petit cœur qui y palpitait. Quelle chose étrange! Puis le savant regarda au fond des grands yeux ronds de l'intrus, tout au fond, jusque dans son esprit. Il y vit des images toutes nouvelles pour lui:

une maison, un vieux monsieur, un chapeau, un lapin en peluche... Tiens, cette forme là avait vaguement quelque chose de familier. Mais... mais est-ce que... mais si c'était?...

— GzL, c'est GzL! s'écria GvL. Il est là-bas, OuOu, là d'où viennent ces créatures. As-tu enfin fini tes analyses avec la bestiole? Mais dépêche-toi un peu, voyons!

OuOu émit un peu de fumée et ré-ouvrit son tiroir. La mouche était là, figée sur ses pattes, une minuscule auréole hypnotique autour de la tête elle aussi.

-- boP! -- Analyse de la pellicule intempo-relle complétée -- Provenance galaxie Voie lactée, système solaire, planète Terre -- boP! -- Coordonnées 111 111 111. Attention -- boP! -- Vous avez bien compris --? --111 111 111. Je répète: 111 111 111...

GvL consultait ses cartes du ciel.

— Ça va, ça va, marmonna-t-il, oui, le Soleil, dans un coin perdu de l'espace, coordonnées 111 trois fois, c'est bien ça!

GvL régla le four spatio-temporel. Une vive lumière éclaira de nouveau le sombre tunnel. Le savant regarda par la porte: à l'autre bout, l'ouverture s'était élargie.

— Allons voir! décida-t-il.

GvL dévissa le nez de OuOu et l'emporta avec lui. Ce nez était relié à l'ordinateur mural par un long fil spiralé, qui se déroulait derrière le savant. GvL s'enfonça dans le four. Il passa le nez de OuOu par l'orifice à l'extrémité du tunnel.

— Et puis, on peut y aller?

-- Snif! Snif! Oui. -- boP! -- Froid, mais supportable, annonça OuOu.

GvL et OuOu surgirent alors du chapeau, dans la chambre d'Henri.

* * *

Brrr! Même protégé par une pellicule intemporelle, c'était glacial, sur ce monde.

— Mais où est notre petit GzL? s'impatienta le savant.

Avec ses oreilles, GvL tenait toujours le nez de OuOu pour le guider. En continuant d'étirer le fil élastique, il s'avançait avec précaution dans la pièce inoccupée.

-- Snif! Snif! -- boP! -- tout droit, encore tout droit -- Snif! -- à gauche maintenant... erreur! Je répète : à gauche! l'autre gauche! --

— Mais j'ai tourné à gauche, imbé-cifil !

-- Correction ! Vous tenez mon nez à l'envers -- boP ! --

GvL émit une grosse bulle grise en guise de soupir. Finalement, ils se retrouvèrent devant la bibliothèque.

Snif! le nez de OuOu s'attarda un instant sur le livre *Alice au pays des merveilles*, puis il passa outre. Snif! Snif! il s'arrêta sur le livre du *Petit Prince*.

-- Ici ! -- boP ! -- Ici !

GvL lâcha aussitôt le nez de OuOu qui - boP ! - rebondit par terre et, entraîné par son fil élastique, rentra d'un coup sec dans le chapeau, comme une balle de « bolo ».

Sans se préoccuper de cet incident, GvL joua de l'oreille pour faire tourner les pages du *Petit Prince*. Il y avait un passage où l'aviateur, qui ne savait pas dessiner, traçait une simple boîte en disant qu'il y avait un mouton à l'intérieur. GvL secoua le livre. On entendit un faible «bêêêêêêê». GvL secoua encore plus fort. Alors, de la boîte, tomba un lapin en peluche. Il était allé se cacher dans la boîte avec le mouton! GvL souffla sur le toutou. Un petit nuage blanc sortit de la peluche. GzL avait retrouvé sa véritable identité!

Sur le coup, le petit GzL fut trop ébahi pour dire quoi que ce soit. Le grand GvL le saisit par une oreille.

— Bon, assez jouer, dit-il, on rentre !

Et à travers le chapeau, GvL ramena GzL sur l'étoile bleue.

Chapitre 8

Au pays natal

-- Bien... -- boP! --...venue! cliqueta OuOu, dès le retour de GvL et GzL au laboratoire.

— Il y a du travail qui t'attend, petit! déclara GvL en sortant du four spatio-temporel.

Le jeune GzL «écarquilla» les oreilles, tout excité. Il avait enfin trouvé son pays d'origine. Et quel pays fabuleux, ce bateau transparent qui flottait sur une mer de feu bleu! Mais ce qui retenait surtout l'attention de GzL, c'était l'intérieur du bateau-labo. Devant lui, s'étalait le plus extraordinaire, le plus délirant, le plus magnifique désordre qu'il ait jamais imaginé. Ça lui prendrait une éternité à tout remettre en place. Enfin, il avait trouvé sa raison d'être. Ce pour quoi il avait été créé : faire du ménage !

À sa grande stupéfaction, GzL aperçut soudain Dominique, immobile dans un coin. Et un tiroir contenant la mouche s'ouvrit dans le mur.

-- boP ! -- Instructions -- ? -- Que faire des -- boP ! -- intrus -- ? --

GzL se précipita tout joyeux vers ses amis. Mais ceux-ci restaient immobiles à cause de l'auréole hypnotique qui tournoyait encore au-dessus de leur tête.

— Libérez-les! s'exclama GzL. Ce sont mes amis!

— Amis? interrogea le savant GvL. Tu utilises des mots bien étranges! Et tu avais là-bas de drôles de fréquentations. Enfin, il est certain qu'il faut nous débarrasser de ces monstres hideux...

À l'aide d'une de ses oreilles, le savant saisit l'hypnochutt qui paralysait Dominique. L'enfant suivit l'auréole comme un somnambule, jusqu'au four spatio-temporel. Puis, GvL appuya de l'autre oreille sur un contact et le four aspira l'intrus.

— Voilà! fit le savant. Cet animal va retourner chez lui sans se souvenir de rien.

— Dominique... murmura GzL.

Le petit nuage restait figé devant le four vide. De grosses larmes blanches coulaient de ses oreilles.

— À l'autre, maintenant! déclara GvL.

-- boP! -- Ce spécimen est défectueux, il nécessite des ré... -- boP! --...parations --

La mort dans l'âme, GzL contempla sa pauvre amie Biz, dont les antennes étaient toutes recroquevillées.

— Aidez-la, s'il vous plaît! supplia-t-il à l'adresse de l'ordinateur.

-- boP! --

Sans demander l'avis de GvL, OuOu referma son tiroir.

— En attendant, grommela GvL, au travail, petit!

GzL épongea avec soin la flaque de schwingoulmt sur le plancher, classa une multitude de pots par ordre de grandeur, empila minutieusement les biscuits d'ordinateur, balaya méticuleusement la poussière d'étoiles... C'était agréable, mais une certaine tristesse flottait toujours au sein du petit nuage. Il s'activait sans arrêt pour l'oublier, mais n'y parvenait pas vraiment...

-- C'est -- boP! -- réparé! -- annonça OuOu en ouvrant son tiroir d'où s'échappaient des BZ BZZ BZZZ!

— Hourra! s'exclama GzL.

La mouche reconnut la voix de GzL et s'envola aussitôt dans sa direction. Mais elle s'arrêta, perplexe, en le voyant sous son aspect de petit nuage plutôt que de lapin en peluche. GzL la rassura en lui expliquant ce qui s'était passé. Ce furent de joyeuses retrouvailles. Biz était en pleine forme, mais elle avait une allure plutôt comique : l'ordinateur lui avait greffé de nouvelles antennes, plus larges et plus longues que les originales.

-- Attention ! Avertissement -- boP ! -- cette réparation ne peut supporter le passage au four. L'animal devra rester ici -- boP ! --

— Que va-t-elle manger ? demanda GzL.

— Ah ! Parce qu'il va falloir la nourrir en plus ? soupira le savant en dégageant une bulle grise au-dessus des oreilles.

Mais déjà, Biz s'était dirigée vers la pile de biscuits d'ordinateur. Il y en avait beaucoup, car OuOu ne les appréciait guère.

— Miam! fit la mouche, Za goûte la viande pourrie, Z'est déliZieux!

— Tu ne regretteras pas ta liberté si tu restes ici? demanda GzL.

Entre deux bouchées, la mouche contempla l'intérieur du bateau, qui était fort vaste.

— BZZ... au moins iZi il n'y a ni vent ni pluie, fit-elle en haussant les ailes. Et on mange bien!

Pendant que son amie se régalait, GzL continua son ménage. Il s'en tirait tellement bien que GvL vint même le féliciter.

— Mais vous, qu'est-ce que vous faites ici, toute la journée? demanda GzL.

— Quand je n'invente rien, je médite, répondit le savant d'un ton radouci. Je t'apprendrai, si tu veux.

— Et... vous rencontrez d'autres gens, parfois?

— Bien sûr, on croise un autre bateau au moins une fois par siècle... on se fait des signaux, de loin... Bon, assez bavarder! Continue ton bon travail, petit.

Le grand GvL se nettoya les oreilles avec du schwingoulmt, puis se suspendit à un trapèze, pour méditer.

— Euh... une dernière chose, demanda le petit GzL. Qu'est-ce que je dois faire quand j'aurai fini?

GvL scintilla, étonné.

— Eh bien... tu peux toujours faire un peu de désordre et recommencer!

« ?!? »

* * *

Jamais on n'avait vu le bateau-laboratoire dans un ordre aussi impeccable. GzL contempla son travail. Il aurait dû être fier de lui. Il aurait dû se sentir heureux. Pourtant, quelque part au cœur du petit nuage, il y avait un petit creux, vide. Bien sûr, les nuages n'ont pas vraiment de cœur. C'était peut-être cela qui lui manquait?

Biz était allée se coucher dans le tiroir de l'ordinateur, avec un morceau de biscuit. GzL, désœuvré, songeait au pays du chapeau. La vie y était dure, parfois. Un arbre pouvait tomber dans la tempête... Mais il y avait aussi des moments magiques:

faire la ronde, se balancer, l'heure du conte, ou... quand un enfant vous embrassait !

GzL essaya d'imaginer ce que faisait Dominique en ce moment. Là-bas, peut-être l'enfant aurait-il besoin d'aide pour le ménage de sa chambre ? GzL hocha les oreilles, tristement. Non, pas vraiment... Déjà, le petit humain rangeait parfois lui-même ses jouets, aidé de ses parents. Avec le temps, Dominique deviendrait de plus en plus autonome. Non, se dit le petit nuage, je serai plus utile ici...

À moins que... Pourrait-il être utile à l'enfant autrement ? Mais comment ? Il poussa un soupir formé de petites bulles grises qui attirèrent l'attention de l'ordinateur.

-- Y a-t-il un pro... -- boP ! --...blème -- ? -- demanda OuOu.

— Je pense à Dominique, mura GzL. Ses petits bras ense. autour de moi... ça me manque!

-- Le petit humain manque à GzL --? -- boP! -- boP! -- boP! -- boP! -- boP! -- (L'ordinateur réfléchit longuement) Est-ce que GzL manque au petit humain --? --

— Tu crois qu'il pourrait avoir besoin de moi? fit GzL en pétillant.

Et le petit nuage vaporeux brilla soudain d'un vif éclat.

* * *

Un peu plus tard, le tiroir de l'ordinateur s'ouvrit.

BZ BZZ BZZZ! fit Biz en s'étirant les ailes.

Mais elle n'était plus seule dans le tiroir.

— Zalut les amis! J'ai une ZurpriZe pour vous!

Dans le tiroir, il y avait des œufs! Biz avait pondu une centaine de minuscules œufs blancs sur des miettes de biscuits à la viande pourrie. Un à un, les œufs ont éclos. Les petites mouches qui en sortirent étaient un peu bizarres. Était-ce le climat de l'étoile, ou bien le régime de biscuits? Toujours est-il qu'elles étaient blanches. Et elles avaient de longues antennes comme celles que OuOu avait greffées à Biz. En fait, c'était comme de grandes oreilles blanches. Les petites mouches avaient l'air de petits lapins!

GzL félicita chaleureusement son amie. Ravie, Biz allait d'un moucheron à l'autre pour leur apprendre à se servir de leurs ailes. Z ZZ ZZZ! ils

s'envolèrent joyeusement. Z ZZ ZZZ!
On aurait dit des lapins volants!

Le bourdonnement tira le savant
GvL de sa méditation. Il s'approcha
pour examiner les nouveaux venus de
plus près.

-- Bébés fragiles -- bop! -- envoi sur Terre
non recommandé -- prévint OuOu.

Heureusement, même GvL se lais-
sait attendrir par les cabrioles des
petits.

— Ils sont mignons, dit-il. C'est
comme des mini-nuages. On pourrait
peut-être leur apprendre des trucs,
des acrobaties? Monter un bateau-
cirque? Ce serait distrayant!

L'ordinateur toussota, comme s'il
hésitait:

-- boPop! boPop! boPop! -- On pourrait aussi leur apprendre à faire du ménage. Cent mini-lapins à six pattes font six cents pattes. Ce serait très rapide. boPoPoP! --

— Mais qu'est-ce que tu racontes, imbécifil! Le jeune GzL est là pour faire du ménage!

C'est alors que GzL s'avança vers le savant.

— Monsieur, dit-il, j'ai bien réfléchi. Je voudrais retourner au pays du chapeau.

Le grand GvL le considéra d'un air incrédule:

— Quoi! sur cette planète glaciale?

— Monsieur, l'enfant que j'ai connu là-bas a le cœur aussi chaud qu'une étoile. Ils appellent ça « aimer », dans son pays. Et je pense que moi aussi, à ma façon, je peux réchauffer le cœur de l'enfant.

Le savant GvL, laissa échapper une grosse bulle de surprise multicolore.

«*Aimer*? Quel mystère est-ce là?» songeait-il.

Tout cela était bien difficile à comprendre! Mais GvL se rappelait ce surprenant petit cœur qu'il avait perçu chez l'intrus. Il réfléchit longuement, au moins deux secondes...

— Hum... évidemment, tous les nuages sont libres, conclut-il. Je ne veux pas te retenir contre ton gré.

Le jeune GzL alla parler à son amie Biz. Elle berçait six bébés œufs dans ses six pattes tout en surveillant ses autres enfants de ses yeux multiples. Elle n'aurait pas le temps de s'ennuyer : il lui fallait empêcher les petits de se cogner aux murs transparents ou de s'approcher du four, leur apprendre comment marcher au plafond, aspirer les miettes de biscuit avec leur petite trompe, se nettoyer les pattes, enfin... tout ce qu'une mouche bien élevée doit savoir !

— Tu ne manqueras pas d'affection avec eux, conclut GzL en embrassant son amie du bout de l'oreille.

— Je te comprends, dit Biz. Mais... tu reviendras me voir, parfois ?

— Très souvent, affirma GzL. Je n'aurai qu'à passer par le chapeau.

— À condition que tu n'en parles à personne, intervint le savant GvL. Je ne tiens pas à avoir d'autres visiteurs. Il y a déjà bien assez de monde comme ça sur mon bateau !

GzL resta songeur un moment. Il se dit qu'entre Dominique et lui, les mots n'étaient pas vraiment nécessaires. Tout pouvait passer par le regard, par la douceur d'être ensemble...

— Je promets de ne rien révéler, déclara GzL. Je ferai semblant d'être un vrai toutou en peluche, ça évitera les complications.

Et il se dirigea vers le four spatio-temporel.

-- boP! -- Attention aux coordonnées -- recommanda OuOu.

Chapitre 9

Éveil

Dans une petite maison, sur Terre, la mère s'interrogeait :

— Mais où est donc Dominique ?

C'est le grand-père qui trouva l'enfant dans sa chambre, endormi sur la chaise berçante.

Pas surprenant de tomber de fatigue, après cette nuit d'orage : la foudre avait réveillé toute la maisonnée très tôt !

Dominique serait plus à l'aise dans son propre lit. Grand-père voulut transporter l'enfant, mais celui-ci ouvrit alors de grands yeux éberlués, le regard encore tout embué de sommeil.

— J'ai rêvé... un beau rêve..., murmura Dominique.

Oui, Dominique revenait du pays des songes. Mais comment décrire ce pays merveilleux à son grand-père, avec ses mots d'enfant? Dominique aurait voulu s'accrocher à son rêve, y retourner. Mais les images s'estompaient dans sa tête. Déjà, il n'en restait que des bribes... Un chapeau magique... une étoile... un nuage qui ressemblait à son lapin en peluche...

Les yeux de Dominique s'arrondirent. Son lapin chéri! Une lueur de désarroi passa dans son regard.

Pourvu qu'il ne lui soit rien arrivé! L'enfant courut à l'étagère.

Le lapin n'était plus là.

Henri aperçut son haut-de-forme par terre. Sans doute l'effet du vent quand la vitre avait été fracassée, la nuit dernière. Mais où était donc passé le lapin?

De grosses larmes coulèrent sur les joues de l'enfant. Grand-père essaya de le consoler du mieux qu'il put. Mais il y avait un gros trou dans le cœur de Dominique.

C'est alors que Boudin entra dans la chambre, comme attiré par quelque appel imperceptible à l'oreille humaine. Snif! il flaira à gauche. Snif! il flaira à droite. Finalement, le chien tomba en arrêt devant la bibliothèque. Grand-père, intrigué, alla voir. D'abord, il ne remarqua rien de spécial, sauf un livre tombé des rayons. Mais en s'agenouillant pour le ramasser, il entrevit un bout de peluche derrière le meuble.

— Abracadabra!... fit grand-papa.

Il esquissa quelques gestes magiques et se releva en souriant.

— Tadam!

Grand-père brandissait le lapin en peluche, en le tenant par la taille. Les pleurs de Dominique se transformèrent en larmes de joie.

* * *

Les saisons ont passé.

La vie a suivi son cours, avec ses hauts et ses bas. Henri a maintenant la moustache un peu plus blanche, le crâne un peu plus dégarni. Et Dominique va à l'école.

Aujourd'hui, dans la chambre à l'étage, l'enfant lit un conte à son grand-père : « S'il... vous... plaît... des... si... ne... moi... un... mou... ton... »

Arrivé à ce passage, Dominique lève les yeux sur l'étagère. Le lapin blanc en peluche est toujours là, assis sur le bord du chapeau haut-de-forme.

Dominique va chercher le toutou et le presse sur son cœur.

— Quand j'étais jeune, dit l'enfant, je rêvais qu'il était vivant...

— Quand tu étais jeune ? glousse grand-papa. Alors moi, je dois être drôlement vieux !

Sans trop savoir pourquoi, Dominique songe à la fois où on avait perdu le lapin, quand le vieux Jo est tombé. Par la fenêtre, on voit la tête de Ti-Jo, le jeune chêne qui repousse maintenant sur les racines de l'ancien.

Une ombre passe sur le visage de l'enfant.

— Toi, grand-papa, tu seras toujours là?

Henri sourit et jette un coup d'œil à la photo au mur.

— Toujours, dit-il, je serai toujours ici...

Et le vieil homme pointe du doigt le cœur de l'enfant.

boP!

Table des matières

Mot de l'auteur

Jean-Pierre Guillet

Est-ce que Dominique a rêvé tout cela? Qui sait... Mais toi, aurais-tu aussi un toutou vivant sans le savoir, quelque part dans ta chambre... ou dans tes souvenirs? Regarde-le bien, les yeux fermés; écoute-le, avec ton cœur; parle-lui des choses et des gens que tu aimes... Laisse aller ton imagination, tu verras, c'est magique!

Moi, j'ai trois beaux toutous pleins de vie que j'embrasse chaque soir: mes enfants François, Joëlle et Dominique! Depuis toujours, j'adore vivre toutes sortes d'aventures... dans ma tête, en lisant ou en écrivant des histoires. À la prochaine! (boP!)

Mot de l'illustratrice

Sylvie Bourbonnière

Je suis née un été, celui de 1966. J'aime les choses chouettes : les petits déjeuners longs et sucrés, les fleurs de mon jardin, les siestes de l'après-midi, le chocolat (miam-miam) et surtout les amitiés sincères.

Les histoires amusantes, me plaisent aussi. GzL, Biz et Dominique ont ensoleillé les jours gris de mon automne. Ils m'attendaient tous les matins avec un grand sourire coquin, assis sur un coin de ma table à dessin.

Ça fait bien huit ans maintenant que j'ai un plaisir fou à illustrer des livres pour les enfants et tout plein de trucs pour les grands aussi. Mais, entre nous, dessiner pour « toi » c'est bien plus rigolo !

Dans la même collection

Cliche, Marie,
Zoé, Zut et Zazou

Desautels, D. Danièle,
Annabelle, où es-tu ?
Mougalouk de nulle part

Desrosiers, Danièle,
Le pilote fou
Au secours de Mougalouk

Foucher, Jacques,
Le zoo hanté

Guillet, Jean-Pierre,
Tadam !

Högue, Sylvie et Internoscia, Gisèle,
Les mésaventures d'un magicien

Julien, Susanne,
Les mémoires d'une sorcière
Le pion magique
J'ai peur d'avoir peur

Lauzon, Vincent,
Le pays à l'envers

Le pays du papier peint
Bong ! Bong ! Bing ! Bing !
Bouh, le fantôme

Major, Henriette,
Les mémoires d'une bicyclette
La planète des enfants
Sophie, l'apprentie sorcière
La sorcière et la princesse
Sophie et le monstre aux grands pieds
Sophie et les extra-terrestres
Sophie et le supergarçon
Les secrets de Sophie
Sophie et ses plus chouettes recettes
d'entourloupettes

Mativat, Daniel,
Ram, le robot

Mativat, Marie-Andrée et Daniel,
Dos bleu, le phoque champion

Montfils, Suzanne
Vacances en eaux troubles

Simard, Danielle,
Les cartes ensorcelées
La revanche du dragon

ACHEVÉ   D'IMPRIMER
EN   FÉVRIER   1995
SUR LES PRESSES DE
PAYETTE & SIMMS INC.
À SAINT-LAMBERT (Québec)